t ESPRIT

Chaine

tant

HÂTRE

FRISSONS

Lueur manifestation

Apparition

UR MYSTÈRE

sible MORT

À Pleurs Cri

Spiritisme

Soufre Revenant

AS-TU PEUR?

FANTÔMES

Catalogage avant publication de Bibliothèque et Archives nationales du Québec et Bibliothèque et Archives Canada

Goyette, Danielle, 1957-

    Fantômes

    (As-tu peur ? ; 3)
    Pour enfants de 8 ans et plus.

    ISBN 978-2-89435-774-3

    1. Fantômes - Ouvrages pour la jeunesse. I. Benoit, Mathieu, 1978-   . II. Titre.

BF1462.G692 2015   j133.1   C2015-940238-7

Édition : Johanne Ménard
Design graphique : Sandy Lampron Design
Révision linguistique : Paul Lafrance

La publication de cet ouvrage a été réalisée grâce au soutien financier du Conseil des Arts du Canada et de la SODEC.

De plus, les Éditions Michel Quintin reconnaissent l'aide financière du gouvernement du Canada par l'entremise du Fonds du livre du Canada pour leurs activités d'édition.

Gouvernement du Québec – Programme de crédit d'impôt pour l'édition de livres – Gestion SODEC

ISBN 978-2-89435-774-3

Dépôt légal – Bibliothèque et Archives nationales du Québec, 2015
               Bibliothèque et Archives Canada, 2015

©Copyright 2015
Éditions Michel Quintin

4770, rue Foster
Waterloo (Québec)
Canada J0E 2N0
Tél. : 450 539-3774
Téléc. : 450 539-4905
editionsmichelquintin.ca

15 - Leo - 1

Imprimé en Chine

Crédits photographiques :

p. 22 : (Harry Price) William Hope, 1922
p. 31 : (Temple de la moto) Daniel Villafruela / Wikipédia
p. 33 : (Raynham Hall) *Country Life Magazine*, 1936
p. 34 : (Morocco Mall) Questmachine
p. 34 : Musée du Château Ramezay
p. 35 : (Aradale) Geoff Brown, www.cohesionpress.com ; www.thisishorror.co.uk
p. 56 : (Casper) Universal Pictures, 1995
Toutes les autres photos : Shutterstock

AS-TU PEUR ?

Texte : Danielle Goyette
Illustrations : Mathieu Benoit

FANTÔMES

ÉDITIONS
MICHEL
QUINTIN

Si tu as peur des fantômes,
il est encore temps de ne pas
ouvrir ce livre...

Si tu le fais, tant pis pour toi :
ils pourraient s'en évader
et venir te hanter !

Mais tu risques aussi
de bien rigoler...

Globine

Principales caractéristiques

Le revenant

Yeux cernés

Regard dans le vide

Corps diaphane, translucide

Vêtements portés au moment de la mort (et pas lavés depuis… Ouache!)

Décor, visible à travers

Peau blanchâtre

Odeur de soufre (tu peux peut-être la sentir si tu colles ton nez sur la page)

d'un fantôme

L'esprit

Température glaciale (c'est normal que tu frissonnes en touchant la page)

Sensation de frôlement (il est peut-être tout près de toi... derrière ton épaule?)

Haleine puante de mort

Chaise berçante qui bouge (il vient juste de se lever)

Vêtements invisibles (c'est peut-être pour ça qu'il se cache...)

Corps invisible de la tête aux pieds

Tabouret renversé sur son passage

Mare de larmes, car il est souvent désespéré

Traces de ses pas

LE FANTÔME «DRAP BLANC» EST SANS DOUTE LE PLUS CONNU DE TOUS. C'EST CERTAIN QUE TU EN AS DÉJÀ CROISÉ SUR TA ROUTE LES SOIRS D'HALLOWEEN. PEUT-ÊTRE MÊME QUE TU EN AS DÉJÀ ÉTÉ UN.

Le fantôme «drap blanc»

Drap blanc piqué dans l'armoire des parents

Trou pour la bouche

Trous pour les yeux

Caries en formation

Dégoulinade de chocolat

Tache de spaghetti du souper pris en vitesse

Provision de bonbons pour l'année

Amis avec déguisements plus à la mode

SCOOP

Un mort BLANC COMME UN LINGE

Pourquoi représente-t-on souvent les fantômes par une silhouette recouverte d'un grand drap blanc ?

Cette idée viendrait du fait qu'autrefois, pour les cérémonies funéraires, on enveloppait les dépouilles dans un grand drap blanc, qu'on appelait suaire ou linceul. Il était important que ce tissu soit immaculé pour emmailloter de pureté celui ou celle qui partait pour l'au-delà. Les fantômes seraient ces morts sortis de leur tombe.

Et pourquoi traînent-ils souvent une chaîne ?

C'est ce qui les rattacherait au monde des vivants !

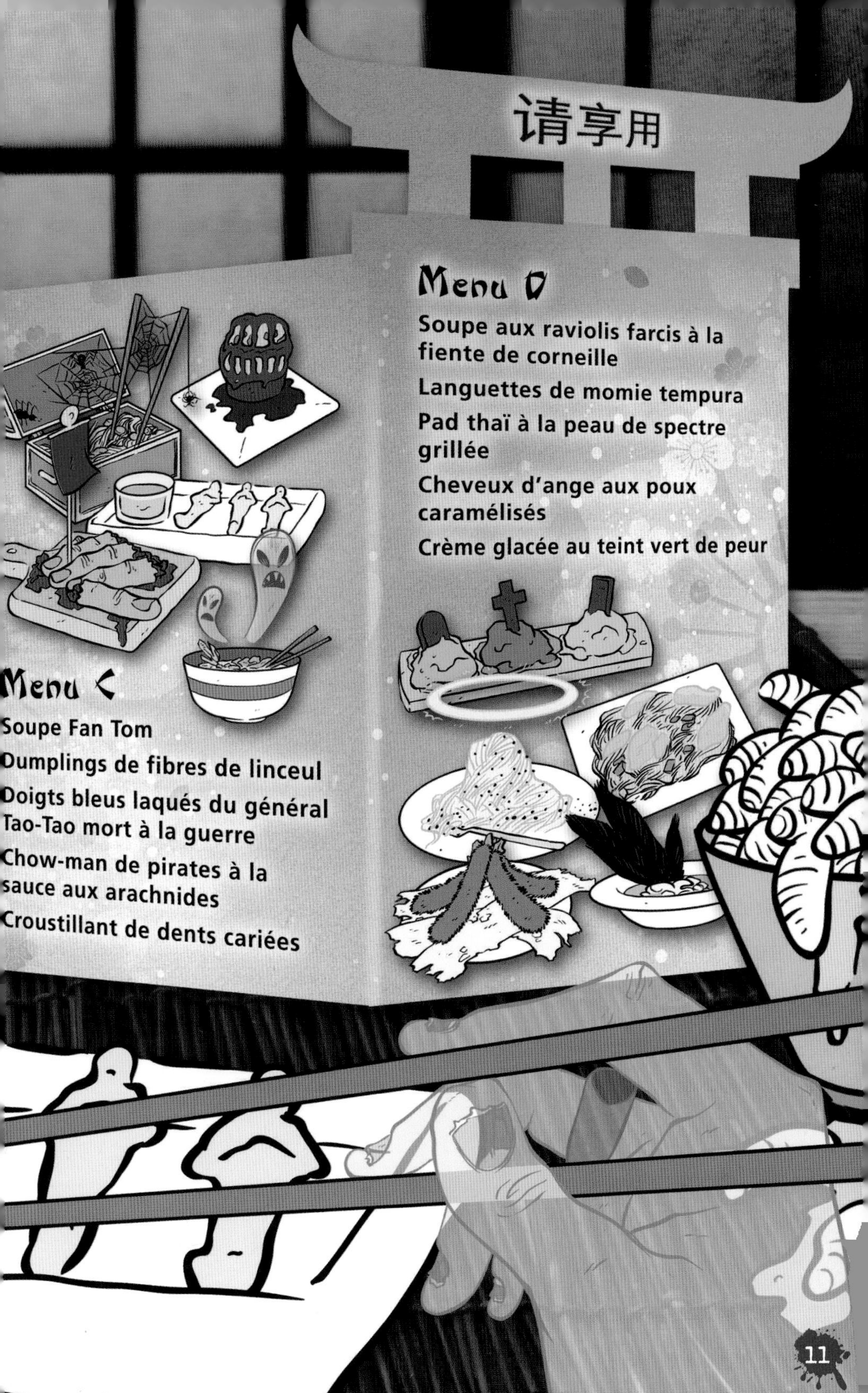

请享用

Menu D

Soupe aux raviolis farcis à la fiente de corneille

Languettes de momie tempura

Pad thaï à la peau de spectre grillée

Cheveux d'ange aux poux caramélisés

Crème glacée au teint vert de peur

Menu C

Soupe Fan Tom

Dumplings de fibres de linceul

Doigts bleus laqués du général Tao-Tao mort à la guerre

Chow-man de pirates à la sauce aux arachnides

Croustillant de dents cariées

Méfie-toi !
Si un fantôme te rend visite...

Quand il vient te voir,
il ne s'annonce jamais.

IL RESTE ENCORE QUELQUES ERREURS DANS VOTRE TEXTE. ET QU'ENTENDEZ-VOUS PAR «LOL»?

Il peut être envahissant.
S'il décide qu'il t'aime,
il va toujours se coller à toi.

S'il te parle, mieux vaut ne pas lui répondre à voix haute quand tes amis sont là, car tu es seul à l'entendre.

S'il est du genre serviable, il peut laisser toutes les portes d'armoires ouvertes.

Il pourrait avoir mauvais caractère.
S'il se sent bou-ou-ouh-gon, ça peut brasser pas mal !

S'il décide de dormir dans ton lit,
ses mauvaises odeurs pourraient te déranger.

Il a beaucoup d'imagination. Il va trouver toutes sortes de façons de te faire peur.

Si tu entends des pleurs, ne t'en fais surtout pas, c'est qu'il est découragé d'être mort depuis aussi longtemps.

Des signes de l'au-delà ?

As-tu déjà entendu parler de ces lueurs qui s'élèvent parfois dans les cimetières la nuit ? Certains pensent que ce sont les âmes des morts qui s'échappent de leurs corps.

Mais il existe une explication scientifique à ce sujet. Quand des matières organiques comme des plantes et des animaux morts se déposent au fond d'un marécage, elles finissent par se décomposer. Il arrive qu'elles dégagent du phosphore ainsi que du méthane, un gaz incolore et inodore. Ce gaz, très inflammable, peut prendre feu spontanément au contact de l'air et produire des lueurs vacillantes qui s'élèvent. Ces petits feux instantanés peuvent être jaunâtres ou blanchâtres, parfois bleus ou rouges. On appelle ce phénomène «feux follets».

Dans les cimetières, les corps en décomposition dégagent les mêmes gaz, et c'est ce qui peut produire ces étranges lueurs.

Secrets de STAR

Cette semaine:

Sam Défoule

Sa chanson préférée: *Un pied mariton*

Son livre préféré: *La petite sirène*

Ses idoles: **Barbe Noire et Jack Sparrow**

Son juron préféré: **«Mille milliards de mille sabords!»**

Son parfum préféré: **L'odeur de la peur au moment de l'abordage**

Son sport préféré: **Le lancer du boulet de canon**

Ses films préférés: *Titanic* et *Pirates des Caraïbes*

Ses passe-temps préférés: **Hanter les bateaux de croisière et tricoter au crochet**

Son objet indispensable: **Un rabot pour aiguiser sa jambe de bois**

Son rêve: **Devenir pirate informatique**

17

Profession : MÉDIUM

ESPRIT,

Elle est assise devant toi, extrêmement concentrée. Puis, soudain, elle donne l'impression d'être une autre personne, avec une voix différente de la sienne.

Un être de l'au-delà parlerait-il tout à coup à travers elle ?

Les médiums disent pouvoir entrer en contact avec les esprits des morts. En se concentrant ou en entrant dans une forme de transe, ils deviendraient parfois une sorte de canal par lequel peut passer un fantôme pour se manifester ou s'exprimer. Cette pratique porte le nom de spiritisme.

Une méthode fréquemment utilisée pour entrer en contact avec des esprits est la «table tournante». Elle est devenue célèbre en 1848 grâce aux sœurs Fox. Ces trois jeunes Américaines prétendaient pouvoir discuter avec une entité qui leur répondait par des coups donnés sous la table. Or, en 1888, l'une des sœurs a avoué que tout cela n'était que supercherie. Pourtant, malgré les canulars de ce genre, nombreux sont les adeptes du spiritisme qui croient toujours possible la communication avec les êtres de l'au-delà.

Le spiritisme est pratiqué dans plusieurs cultures du monde depuis des siècles. En Afrique, le médium porte le nom de griot ou de marabout. Chez les Amérindiens et en Océanie, on parle plutôt de chaman. Dans l'Antiquité, les Grecs écoutaient l'oracle, tandis que les Celtes s'en remettaient au druide.

ES-TU LÀ?

OUIJA
Vrai ou faux?

Connais-tu l'étrange ouija qui permet, selon certains, de poser des questions à l'au-delà?

Sur la planche de ouija sont dessinés les 26 lettres de l'alphabet, les chiffres de 1 à 0, les mots «oui», «non», «au revoir». Deux personnes s'assoient face à face et déposent les doigts de chaque côté d'une petite planchette à bout pointu qui se déplace au gré des questions. La pointe s'arrête alors de lettre en lettre, pour épeler la réponse. Certains disent que ces réponses sont fournies par des êtres de l'au-delà, d'autres soutiennent plutôt que ce sont les deux participants qui font bouger la planchette sans s'en rendre compte.

MAISONS À HANTER

Faites confiance à votre agent immobilier Yvan Duvent pour dénicher la propriété de vos rêves les plus macabres.

VENDU

Un client satisfait témoigne :

« **LES RÉSIDENTS CLAQUAIENT DES DENTS SI FORT QU'ELLES TOMBAIENT.** »

MANOIR LUGUBRE À PRIX DÉRISOIRE

666, rue Fond-du-Bois,
Sainte-Frousse

*À visiter entre 23 h et 3 h
pour en apprécier
toutes les possibilités !*

- ✔ Vente rapide. Raison : peur bleue
- ✔ Vaste résidence au cachet très inquiétant
- ✔ Nombreux coins sombres d'où surgir
- ✔ Murs très minces faciles à traverser
- ✔ Très écho pour gémissements et bruits de chaînes
- ✔ Intensité lumineuse vacillante
- ✔ Murs extérieurs décrépits avec lierres grimpants morts
- ✔ Vitres sales pour lueurs floues
- ✔ Famille de corbeaux locataires dans le boisé à l'arrière
- ✔ Vieux cimetière à 300 mètres

TERRIFIANTE DEMEURE POUR SPECTRE BATAILLEUR

- ✔ Âmes froussardes s'abstenir
- ✔ Quelques parties déjà incendiées par d'autres revenants
- ✔ Meubles recouverts de vieux draps
- ✔ Escaliers qui craquent
- ✔ Approvisionnement d'odeur de soufre
- ✔ Grenier sombre et poussiéreux
- ✔ Brouillard extérieur sur commande
- ✔ Sensations de malaise permanent
- ✔ Lieu isolé au bout d'un cul-de-sac

000, rue Sans-Issue, Lieu-dit du Souffle-de-la-Mort

Visite guidée par Hector, le plus vieux fantôme de la place. Mieux vaut ne pas lui piler sur les pieds.

DRÔLE DE CHÂTEAU POUR FANTÔME RIGOLO

- ✔ Beau potentiel pour faire fuir à toutes jambes
- ✔ Courants d'air à volonté
- ✔ Quatorze chandeliers faciles à éteindre
- ✔ Trois chaises berçantes en pleine forme
- ✔ Miroirs pour apparitions de l'au-delà
- ✔ Fils d'araignée en quantité cauchemardesque
- ✔ Musique sinistre à faire mourir de rire
- ✔ Portraits d'aïeuls avec yeux qui bougent
- ✔ Impossible d'y trouver le sommeil

C-Zéro, rue Ça-Fait-Peur, Cité de l'Épouvante

Visite libre, fou rire assuré.

Chasseurs de fantômes

Ils n'ont pas froid aux yeux

Ils aiment traquer les revenants,
ils tentent de prendre contact avec eux
et ils les aident même à quitter les lieux.
Non, les chasseurs de fantômes n'ont vraiment
pas peur d'avoir peur !

Passionné par l'au-delà

Harry Price serait le plus ancien et le plus célèbre chasseur de fantômes. À l'âge de 15 ans, en 1896, il aurait rencontré son premier spectre, en pleine nuit, dans un vieux manoir de Shrewsbury en Angleterre. Ce Britannique mordu de fantômes a fondé en 1925 un groupe de recherche à Londres et a publié une douzaine de livres sur le sujet.

À la demande de personnes inquiètes qui croient que leur maison est hantée, ils se rendent sur place afin de procéder à une enquête. Pour mener leurs recherches sur les phénomènes paranormaux, ils utilisent plusieurs appareils techniques spécialisés. Ils tentent d'enregistrer les sons étranges qui pourraient être des voix de fantômes, de filmer des images qui montreraient des spectres et de sentir leur troublante présence énergétique à l'aide d'un détecteur de champs électromagnétiques.

Par la suite, ils essaient d'expliquer de façon scientifique ces manifestations qui sont souvent d'origine tout à fait naturelle. Parfois, ils en viennent à la conclusion que la maison est bel et bien hantée et ils proposent alors aux propriétaires d'aider ces âmes errantes à quitter les lieux en les guidant vers la paix.

S.O.S. Fantômes à la rescousse

S.O.S Fantômes (Ghostbusters) est le nom de l'entreprise d'exterminateurs de fantômes que fondent trois profs virés de l'université, dans une série de films hilarants. Très vite, les joyeux lurons ne fournissent plus à la demande. Même qu'ils deviennent bientôt les seuls à pouvoir carrément sauver le monde des griffes de malveillants fantômes alliés à des hordes d'affreux démons sortis tout droit de l'enfer dans le but de prendre possession de la terre.

EUH...

ENFANT, ENFANT...
DISONS QUE JE SUIS
PLUTÔT UN ADO.

VOUS N'EN POUVEZ
PLUS DE
VOTRE DOS ?

ATTENDEZ,
JE DEMANDE À
MES AMIS CE QU'ON
PEUT Y FAIRE.

ISIDORE, ÉVARISTE,
EDWIDGE, ARMOZA,
ÊTES-VOUS LÀ ?

CE PETIT
GARÇON A UNE
QUESTION
POUR VOUS.

BONJOUR, CLAIRE,
C'EST EDWIDGE, JE SUIS
TOUT PRÈS DE TOI.

QUOI ?
FAIRE TREMPER
SON PIED DROIT ?

BON, VOILÀ
TA RÉPONSE POUR
TON MAL DE DOS,
MON PETIT.

AS-TU
UNE AUTRE
QUESTION ?

EUH...
C'EST QUE...
J'N'AI PAS...
ENFIN...
J'AIMERAIS
PARLER À MON
GRAND-PÈRE
RAYMOND...

MONSIEUR RAYMOND?

ÊTES-VOUS TOUJOURS LÀ?

QUE DIRIEZ-VOUS DE CE SOIR, À 19H?

JE POURRAIS RÉSERVER AU RESTAURANT ÂME KI VIV?

LEURS CÔTELETTES CRAQUANTES DE SQUELETTE À L'AIL ET LEURS LANGUETTES DE MOMIE TEMPURA SONT DÉLICIEUSES.

VOUS ÊTES LÀ?

VOUS VIENDREZ?

EUH...

DÉSOLÉ, C'EST QUE CE SOIR JE NE PEUX PAS, JE SUIS L'INVITÉ D'UNE TABLE PARLANTE À LAS VEGAS.

MAIS NON, VOYONS, VENEZ MÊME SI VOUS AVEZ DES GAZ!

L'ODEUR DES FANTÔMES, JE CONNAIS BIEN.

ALLEZ, À CE SOIR, BEAU SÉDUCTEUR!

SLOOP

FRISSONS
AUTOUR DU MONDE

La Maison-Blanche
Washington, États-Unis

On raconte que les fantômes de plusieurs anciens présidents américains se réuniraient régulièrement à la Maison-Blanche pour discuter de choses sérieuses. On sentirait leur présence dans plusieurs des pièces de la grande résidence présidentielle.

La tour de Londres
Angleterre

Plusieurs fantômes d'anciens prisonniers exécutés sur place hanteraient les lieux. Parmi eux, la deuxième épouse du roi Henri VIII d'Angleterre, Anne Boleyn, s'y promènerait en pleurant.

Le temple de la moto
État du Rajasthan, Inde

En 1988, un motocycliste trouve la mort sur une route isolée. Les policiers transportent le corps et la moto à Jodhpur, à 50 km de là. Le lendemain, la moto est à nouveau retrouvée sur le lieu de l'accident ! Une, deux, trois fois… Les policiers rapportent la moto à Jodhpur, celle-ci retourne toujours là où son conducteur est mort. Finalement, on a érigé sur place un temple pour exposer et prier la fidèle moto Royal Enfield Bullet.

Les cimetières empilés de Prague
République tchèque

Un des cimetières de Prague est plus effrayant que bien d'autres autour du monde. Il réunit pas moins de 11 cimetières construits les uns par-dessus les autres durant trois siècles… Ça fait 11 fois plus de fantômes qui y errent la nuit ! On dit qu'il pourrait y avoir plus de 12 000 tombes érigées les unes sur les autres.

L'île Hashima
Préfecture de Nagasaki, Japon

De 1887 à 1974, «l'île navire de combat», comme on l'a surnommée à cause de sa forme, était une plateforme minière habitée par plusieurs milliers de travailleurs et leurs familles. Quand l'exploitation minière a cessé, l'île a été abandonnée. On prétend que des fantômes hantent depuis cette lugubre forteresse.

Le château d'Édimbourg
Écosse

Ce grand château érigé il y a 900 ans aurait plus d'une histoire de fantômes à raconter. De nombreux touristes disent sentir des présences tout spécialement dans son donjon, où évolueraient entre autres les fantômes d'un duc, d'un joueur de cornemuse et d'une femme brûlée au bûcher pour sorcellerie.

L'hôtel Banff Springs
Alberta, Canada

Ce grand hôtel situé dans les Rocheuses serait fréquenté par une âme errante baptisée « La mariée fantôme ». Dans les années 1930, une jeune femme descendait le grand escalier du palace pour se rendre à la salle de bal quand elle y a fait une chute mortelle. On dit qu'elle hanterait les lieux depuis, à danser dans la salle de bal ou à descendre inlassablement l'escalier fatal.

Le Raynham Hall
Comté de Norfolk, Angleterre

Le fantôme de Lady Dorothy Townshend, qui a vécu au 17e siècle en ces lieux, déambulerait entre les murs du vaste domaine. Celle qu'on a surnommée *The Brown Lady* aurait été enfermée par son mari jaloux dans une pièce où elle est morte. Cette photo prise en 1936, qui montrerait son spectre, est l'une des plus célèbres photos de fantômes.

Le champ de bataille de Gettysburg
Pennsylvanie, États-Unis

La sanglante bataille de Gettysburg, pendant la guerre de Sécession, s'est étirée sur trois jours en juillet 1863. Certains prétendent que lorsqu'on se promène en ces lieux, on perçoit la présence des âmes de jeunes soldats morts au champ d'honneur.

33

Humberstone et La Noria
Chili

Ces deux villes minières abandonnées ont la terrible réputation d'être hantées par les fantômes du cimetière. Certaines tombes seraient même ouvertes. La nuit, des ombres sombres et étranges circuleraient dans les rues et on entendrait même des enfants jouer. Les résidents de la localité voisine n'osent pas y mettre le pied.

Le Morocco Mall
Casablanca, Maroc

Les fantômes marocains aiment le magasinage! Le Morroco Mall, plus grand centre commercial d'Afrique, construit en 2011, serait hanté. Dans l'entrepôt du sous-sol, il paraît qu'on entend des cris, des bruits bizarres et même des trots et des hennissements de chevaux. Effrayés d'y travailler la nuit, des agents de sécurité ont fini par démissionner.

Musée du Château Ramezay
Montréal, Canada

Ce musée serait hanté par l'ancienne gardienne des lieux, Miss O'Dowd, décédée en 1981. Elle s'y manifeste de mille façons: odeur de soufre, lumières qui s'éteignent, déplacement d'objets, bruits de pas, ouverture du coffre-fort abritant des pièces de collection. Sa présence gênerait même l'activation du système d'alarme. En 2002, une photo qui semble montrer ce fantôme a été prise par un technicien.

Le paquebot Queen Mary
Los Angeles, États-Unis

Les fantômes d'un employé de la salle des machines et d'une dame vêtue d'une longue robe blanche s'y promèneraient. Des traces de pieds humides apparaîtraient parfois sur le plancher, près de la piscine. Repeint en gris pendant la Deuxième Guerre mondiale, ce grand paquebot de luxe a servi de navire militaire pour le transport des troupes. Sa rapidité lui a valu le surnom de *Gray Ghost* («fantôme gris»). Le *Queen Mary* est maintenant un hôtel-musée à quai.

L'asile Aradale
Australie

Cet hôpital psychiatrique ouvert en 1867 et abandonné en 1998 aurait été bâti sur un cimetière aborigène. Bien des patients y sont morts et on dit que certains hanteraient encore les lieux. Les chasseurs de fantômes qui s'y sont aventurés y auraient côtoyé des ombres blanches, vaporeuses et insistantes. Ils auraient aussi entendu des pleurs d'enfants et de vibrants coups donnés dans les murs.

Comment savoir
si tu es un FANTÔME

Si tu réponds « oui » à au moins 7 de ces 10 questions, il y a de fortes chances que tu sois un fantôme. Désolé, on ne peut plus rien faire pour ton cas !

1. As-tu le teint blanc comme un drap ?
2. Aimes-tu rester enfoui sous tes couvertures ?
3. Ta famille fait-elle semblant qu'elle ne te voit pas ?
4. Pire encore, ton frère te rentre-t-il dedans comme s'il ne savait pas que tu es là ?
5. Portes-tu toujours les mêmes vêtements plutôt démodés ?
6. Aimes-tu faire peur à ta petite sœur ?
7. Quand tu marches, as-tu l'impression de traîner un boulet au bout d'une chaîne ?
8. Préfères-tu vivre la nuit plutôt que le jour ?
9. Peux-tu passer à travers une porte sans t'en rendre compte ?
10. Est-ce que tu ne réponds jamais quand on s'adresse à toi ?

VRAI de VRAI

« Ma jambe fantôme me pique ! »

Quelqu'un perd une jambe dans un grave accident. Pourtant, des mois et même des années plus tard, il sent toujours la présence de ce membre manquant, de ses orteils qui semblent bouger. On parle alors de membre fantôme ou d'hallucinose. La grande majorité des personnes amputées d'un bras, d'une main, d'un doigt, d'une jambe, d'un pied ou d'orteils ressentent encore après l'accident ou l'opération la présence de cette partie de leur corps, plus spécifiquement la douleur liée à la blessure. Mais pourquoi donc ?

Les scientifiques expliquent ce phénomène par la mémoire cérébrale, c'est-à-dire que le cerveau garde en mémoire l'image corporelle du corps entier avant la perte de ce membre. La zone du cerveau habituellement en lien avec ce membre continue d'envoyer des influx nerveux à cette partie du corps, même si elle n'existe plus. L'influx nerveux est une stimulation électrique produite par le cerveau pour faire bouger un membre.

On dit même que, chez certains, la sensation du membre fantôme peut subsister jusqu'à 25 ans après la perte de ce membre.

Les OUTILS CHASSEUR

UNE LAMPE DE POCHE

Il paraît que les fantômes consomment l'énergie de tout ce qui en dégage. Donc, plusieurs piles de rechange peuvent être nécessaires.

UN DÉTECTEUR DE CHAMPS ÉLECTROMAGNÉTIQUES

Pour capter les ondes d'énergie que dégagent parfois les fantômes quand ils s'énervent trop.

UN APPAREIL PHOTO

Pour fixer le plus d'images possible des lieux. Mais les fantômes sont plutôt discrets.

UN CAMÉSCOPE AVEC VISION NOCTURNE

Pour filmer tout ce que tu désires autour de toi et même ce que tu préférerais ne pas voir.

UNE TROUSSE D'URGENCE

Pour soigner les petites blessures, si jamais un fantôme ou un de tes amis te bousculait.

d'un bon
DE FANTÔMES

UNE CRAIE

Pour marquer sur le sol l'emplacement de certains objets qui pourraient bouger. Ainsi, ça te donnera une preuve que tu avais raison d'avoir peur.

UN CARNET ET UN CRAYON

Pour tout prendre en note. À vrai dire, deux et même trois crayons au cas où un fantôme te les vole !

UN MAGNÉTOPHONE

Pour capter des phénomènes de voix électroniques (PVE). Certains fantômes ont beaucoup de jasette mais parlent très, très, très bas. En amplifiant l'enregistrement, on les entend parfois placoter.

UNE MONTRE

Pour bien noter l'heure des manifestations. Idéalement, les aiguilles devraient être lumineuses.

UN THERMOMÈTRE

Pour surveiller les chutes de température. Les fantômes aiment bien te faire frissonner de peur.

UN CELLULAIRE

Pour appeler tes parents si la frousse te prend !

HALLOWEEN

Quand les fantômes s'éclatent

Les origines de l'Halloween remontent à une tradition très ancienne : la fête de Samhain ou Nouvel An celtique. Les Celtes sont une civilisation qui a connu son apogée il y a environ 2 500 ans en Écosse, en Irlande et au pays de Galles. Les Celtes croyaient que, dans la nuit du 31 octobre au 1er novembre, la porte de l'au-delà s'ouvrait pour permettre aux morts de revenir visiter la terre et les vivants.

Pour amadouer les esprits afin qu'ils ne détruisent pas les récoltes, on leur offrait des cadeaux, surtout de la nourriture laissée sur le seuil de la porte ou sur la table. Et pour passer inaperçus parmi les morts, les Celtes se cachaient sous toutes sortes de déguisements effrayants.

Plus tard, on a commencé à célébrer la Toussaint, fête de tous les saints, le 1er novembre. Le mot « Halloween » serait une déformation des expressions anglaises *All Hallows* qui veut dire « tous les saints » et *Eve* qui signifie « veille ». *All Hallows' Eve* veut donc dire la « veille de la fête de tous les saints », soit le 31 octobre.

Aujourd'hui on fête l'Halloween dans bien des pays, particulièrement là où des Irlandais ont immigré. Ce soir-là, on se déguise en personnages souvent horribles et on passe de porte en porte pour récolter des friandises.

JACK À LA LANTERNE

La légende de Jack à la lanterne est irlandaise et serait à l'origine de la citrouille illuminée d'une chandelle. À sa mort, un 31 octobre, le vilain Jack, homme égoïste et avare, se serait vu refuser l'entrée au paradis et même en enfer. Son âme fut alors condamnée à errer dans le monde jusqu'à la fin des temps. Pour voir son chemin dans la nuit, Jack se serait éclairé à l'aide d'un charbon ardent placé dans un navet creusé en guise de lanterne. La tradition irlandaise de transformer des navets en lanternes le soir de l'Halloween, en souvenir des âmes tourmentées comme celles de Jack, s'est modifiée à l'arrivée en Amérique de milliers d'Irlandais fuyant la famine. C'est ainsi que, avec sa bouille ronde facile à creuser, la citrouille a remplacé le navet depuis le début du 20e siècle comme reine de l'Halloween.

ATTENTION!
LES FANTÔMES SONT PARTOUT!

AU CIMETIÈRE. Ils y prennent leurs aises et s'installent confortablement.

DANS TA CLASSE. Les fantômes adorent jouer des tours à ton prof.

DANS TA SALLE DE BAIN. Ils raffolent de la chaleur d'une baignoire remplie à ras bord et aiment s'y prélasser.

DANS TON RÉFRIGÉRATEUR.
Ils aiment sa fraîcheur en été.

AU PIED DE TON LIT.
Ils affectionnent l'odeur des pieds qui puent.

Une chaise qui valse dans les airs...

Un bibelot projeté sur un mur...

La sonnette d'entrée qui résonne toute seule sans arrêt...

Poltergeist
L'esprit frappeur

Certains phénomènes de hantise semblent entraîner des déplacements d'objet soudains ou de forts bruits très étranges. On les appelle des poltergeists. Ce terme vient des mots allemands *poltern* qui veut dire «faire du bruit» et *Geist*, «esprit». On emploie aussi l'expression «esprit frappeur».

Pour ceux qui croient aux fantômes, les poltergeists sont l'expression d'esprits fâchés venus se venger ou d'enfants fantômes qui jouent de mauvais coups.

Au début du 20e siècle, les parapsychologues Hans Bender et William G. Roll lancent l'hypothèse que ces manifestations seraient produites de façon inconsciente par la pensée d'une personne fortement perturbée, souvent un adolescent en pleine puberté.

Ceux qui ne croient pas aux fantômes déclarent encore de nos jours que ces manifestations ne sont que le fruit de l'imagination de gens souffrant de profonds troubles psychologiques.

Rêve ou réalité ?

As-tu l'impression que des fantômes hantent ta chambre ?

Sont-ils là au moment de t'endormir ou quand tu ouvres les yeux le matin ?

Eh bien, peut-être qu'il ne s'agit pas de fantômes, mais plutôt d'une sorte d'hallucination liée au cycle de ton sommeil. Et ces hallucinations portent de bien drôles de noms.

L'hallucination **hypnagogique** se produit juste au moment où tu t'endors. Tes yeux semblent voir une ombre noire inquiétante alors qu'il se peut que ce ne soit qu'une image que tu as en tête et qui appartient au rêve que tu commences à faire. Tu as tout de même l'impression de voir quelque chose de bien réel.

L'hallucination **hypnopompique** se passe plutôt au réveil. Celle-là est plus impressionnante, car elle survient alors que tu ouvres les yeux mais que ton cerveau, lui, n'est pas tout à fait réveillé. Les formes que tu penses alors voir dans ta chambre peuvent tout simplement appartenir au rêve que tu étais en train de faire et que ton cerveau, lui, n'a pas quitté encore. Ça peut donner des formes ou des ombres très réalistes qui font vraiment peur. Et pourtant, ce ne sont que des créations de ton propre esprit.

FLOU PÂTEMOLLE
à l'école des apprentis fantômes

EN SEPTEMBRE DERNIER, LE GENTIL FLOU PÂTEMOLLE VIVAIT LE GRAND BONHEUR DE COMMENCER L'ÉCOLE.

DEPUIS, FLOU S'EST FAIT PLEIN D'AMIS À L'ÉCOLE ET IL ADORE JOUER AVEC EUX.

IL EXCELLE DANS L'ART DE FAIRE PEUR AUX AUTRES.

EUH...
NON...

FLOU PÂTEMOLLE, RÉPÈTE UNE AUTRE FOIS APRÈS MOI : BOU-OU-OUH !

YAHOU-AH-DIDOUBIDOU...

ET COMME TOUS SES AMIS, FLOU SAIT TRÈS BIEN DÉGAGER CETTE PUANTE ODEUR DE SOUFRE TYPIQUE À TOUT BON FANTÔME !

FLOU PÂTEMOLLE ADORE LUI AUSSI FAIRE PEUR AUX ENFANTS QUI SE RÉVEILLENT LA NUIT.

ZZZ

COMME TOUT FANTÔME QUI SE RESPECTE, FLOU EST PASSÉ MAÎTRE DANS L'ART DE TRAVERSER LES MURS.

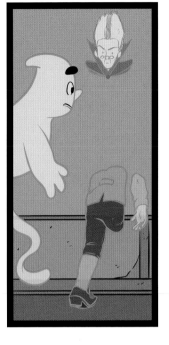

MAIS COMMENT RÉUSSIS-TU À NE PAS ÊTRE UN VRAI FANTÔME ?

ET FLOU EST DEVENU LE GARDIEN IDÉAL DES PETITS POUPONS.

FAIS DODO, COLAS, MON P'TIT FRÈRE, FAIS DODO, T'AURAS DU LOLO...

ZZZ

GRRRR...

F-A-I-S D-O-D-O !!!!!!!

49

EXPERT EN TOUT, FLOU PÂTEMOLLE AVAIT LE CHOIX DES MÉTIERS. IL S'EST FINALEMENT TROUVÉ UN TRAVAIL QUI LUI CONVIENT PARFAITEMENT. IL EST DEVENU MOUCHOIR GÉANT POUR LES FAMILLES ÉPLORÉES.

LE HOLLANDAIS VOLANT

Mystérieux vaisseau fantôme

SCOOP

On dit qu'on le voit apparaître
soudain dans la brume,
en mer calme, voguer au loin,
lumineux, les voiles ouvertes,
puis disparaître dans les eaux,
tout aussi mystérieusement.

Les navires fantômes hanteraient les mers du monde entier, menés par des équipages de squelettes et de fantômes qui reviendraient inlassablement revisiter les lieux où ils ont vécu... et où ils ont péri.

Le *Hollandais volant* est sans doute le plus célèbre de ces vaisseaux fantômes. Sa sombre histoire pourrait être liée aux exploits d'un capitaine hollandais ayant vécu au 17e siècle. Il avait la réputation de voguer si rapidement qu'on disait de son navire qu'il «volait» pratiquement sur les flots. L'intrépide capitaine et son bâtiment disparurent un jour d'effroyable tempête.

Il existe plusieurs versions de cette légende. L'une d'elles raconte que le capitaine du magnifique navire aurait été assassiné par son équipage lors d'une violente mutinerie. Or, avant de rendre l'âme, il aurait eu le temps de damner tous ses marins en concluant un pacte avec son ami le Diable. Très vite, tous les hommes furent terrassés par une fulgurante peste, et chacun trouva la mort en d'atroces douleurs. Et comme aucun port n'accepta qu'il y accoste, le *Hollandais volant* fut condamné à errer en mer à tout jamais.

Peu importe si la légende dit vrai, de nombreux témoins à différentes époques soutiennent qu'ils ont vu ce grand navire, toutes voiles gonflées alors que le temps était très calme, se montrer puis s'effacer de manière incompréhensible. Ce célèbre vaisseau est même évoqué dans la populaire série de films *Pirates des Caraïbes*.

AGENCE DE RENCONTRES SORS DE L'OMBRE

Cornélius L'Angélus

Ma description: Je suis terriblement séduisant, mais parfaitement… invisible.

Ma grande qualité: Je suis invisible. Pratique si tu as envie d'être seule.

Mon pire défaut: Je suis invisible. Je passe toujours inaperçu.

Mon espoir: La découverte d'un vaccin contre l'invisibilité.

Je cherche: Une compagne bien en chair.

Mignonnette Casperette

Ma description: Je suis coquette et discrète comme une crevette.

Ma grande qualité: Je suis experte à la cachette.

Mon pire défaut: Parfois je ne suis pas à prendre avec des pincettes.

Mon espoir: Avoir des pieds pour apprendre à danser la claquette.

Je cherche: Un amoureux qui ne prenne pas la poudre d'escampette.

L'amour te manque tellement que tu n'es plus que l'ombre de toi-même. L'élu de ton cœur est pourtant là, tout près de toi, et tu ne le vois même pas!

Cid La Trouille

Ma description: Je suis détective privé pour l'agence Es-tu là?

Ma grande qualité: Je sais tout, je vois tout, j'entends tout.

Mon pire défaut: J'ai peur de mon ombre même si je n'en ai pas.

Mon espoir: Cesser d'avoir peur et commencer à faire peur.

Je cherche: Une revenante pas apeurante.

Pâlichonne Plasma

Ma description: Je suis figurante dans des films d'horreur. Je joue l'ombre qui passe en coup de vent.

Ma grande qualité: Je suis une actrice passe-partout.

Mon pire défaut: Je ne me rappelle jamais que je n'ai pas de texte à dire.

Mon espoir: Devenir la star d'une maison hantée célèbre.

Je cherche: Un médium qui m'apprécierait à ma juste valeur.

FANTÔMES EN FOLIE

CASPER

Lorsqu'une dame hérite d'une vieille maison, elle n'apprécie vraiment pas que son nouveau domicile soit hanté. Elle engage un parapsychologue pour l'en débarrasser. L'expert s'installe dans la demeure avec sa fille Kat qui se lie d'amitié avec Casper, un jeune fantôme très gentil. D'abord le héros d'un court-métrage (1945), Casper devient la vedette de livres illustrés, de nombreux dessins animés, et même de jeux vidéo. Au cinéma, il a joué aux côtés de vrais acteurs comme Christina Ricci (1995).

BEETLEJUICE (1988), avec Michael Keaton. Les fantômes Adam et Barbara n'apprécient pas la nouvelle famille qui vient d'emménager dans leur belle demeure antique. Comme ils ne réussissent pas à les faire fuir, ils engagent Beetlejuice, spécialisé dans le domaine.

UN CHANT DE NOËL
(A CHRISTMAS CAROL)

Écrit par Charles Dickens, ce conte nous transporte dans la vie de Scrooge, un vieil homme avaricieux et méchant. Mais voilà que la nuit de Noël, Jacob, son associé mort depuis sept ans, revient hanter ce vieillard sans-cœur et grincheux en compagnie d'amis fantômes dans le but de l'obliger à changer d'attitude. Depuis sa parution en décembre 1843, cette histoire a été adaptée une multitude de fois au théâtre, à la télé et au cinéma. *Un conte de Noël* (2009), avec Jim Carrey, en est un bel exemple. *Fantômes en fête* (ci-dessous) en est aussi inspiré.

FANTÔMES EN FÊTE (1988), avec Bill Murray.

Frank est directeur d'une station de télé et il est insupportable. Aidé de trois fantômes encombrants, son défunt patron décide de venir le hanter afin de l'obliger à devenir plus gentil avec ses employés.

LE MANOIR HANTÉ ET LES 999 FANTÔMES (2004), avec

Eddie Murphy. Un homme convainc sa famille de s'installer dans une vieille demeure glaciale. Mais très vite, ils découvrent qu'ils n'y sont pas seuls. Pas moins de 999 fantômes agaçants hantent les lieux.

PARANORMAN (2012), film d'animation.

Norman est un garçon qui a un pouvoir bien particulier : il peut parler aux morts. Pour lui, c'est tout à fait naturel. Cela va l'aider à protéger sa ville, car d'horribles êtres venus de l'au-delà s'apprêtent à l'envahir.

SCOOBY-DOO ET LE FANTÔME DE L'OPÉRA (2014), film

d'animation. Un fantôme hante mystérieusement un plateau de télévision. Le brave chien Scooby-Doo et ses amis sont appelés à la rescousse.

COMMENT ÉLOIGNER

HÉ! HO!
DOUCEMENT!

1. Ouvre grand les fenêtres et invite les mauvais esprits à sortir gentiment.

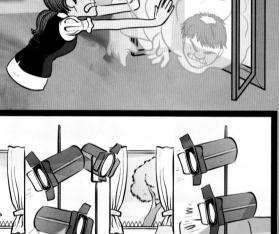

2. Imagine qu'une belle lumière enveloppe la maison et la protège.

3. Mets une belle musique douce ou chante de ta plus belle voix un air joyeux.

LES FANTÔMES

4. Fais brûler de l'encens. La sauge purifie l'air et l'oliban serait efficace pour éloigner les mauvais esprits.

5. Dépose du sel de mer dans tous les coins de chacune des pièces de la maison.

PEUT-ÊTRE QUE ÇA NE FONCTIONNE PAS AVEC LES FANTÔMES DE PRINCESSES...

MIROIR, MIROIR...

DIS-MOI QUE JE SUIS LA PLUS BELLE !

6. Et si les fantômes semblent vouloir rester... Sors un grand miroir et, lorsqu'ils s'y regarderont, ils s'y emprisonneront à tout jamais !

La peur, ça s'attrape!

Tu es avec un groupe d'amis autour d'un feu de camp et l'un d'entre vous raconte une histoire de fantômes. Vous avez tous la trouille, mais vous ne pouvez vous empêcher de l'écouter en frissonnant de peur. Si ton voisin met soudainement sa main sur ton épaule, que vas-tu faire? Sursauter, n'est-ce pas? Pourquoi? Parce que tu t'es mis en état de peur. Et si tout le groupe est sur la même longueur d'onde, vous risquez fort de partager cette frayeur qui n'en deviendra qu'encore plus impressionnante. Car la peur est contagieuse.

Que tu aies la frousse pour vrai, par exemple devant un chien enragé, ou que tu «joues» à avoir peur, comme ce soir-là autour du feu, tes réactions physiologiques sont presque les mêmes. Tu trembles, tu transpires, ton cœur bat plus vite, ta vision s'aiguise, tu entends plus clairement tous les bruits, les poils sur ton corps se soulèvent et tu risques même d'avoir une bouffée d'une hormone qui s'appelle l'adrénaline.

Que cette peur soit véritable ou inventée, ton corps va réagir de la même façon. Eh oui! Une peur imaginaire peut être aussi forte qu'une peur réelle!

FRISSONS

LES CONSEILS

Demande la permission aux propriétaires du lieu avant d'aller y enquêter. Sinon, ce ne sont pas les fantômes qui vont te bou-ou-ouh-sculer, mais plutôt le proprio grognon qui risque de te mettre à la porte.

Ne pars jamais enquêter seul et ne te sépare jamais de ton collègue en cours d'investigation. Si jamais un fantôme veut t'attaquer, ton ami pourra toujours lui faire une jambette.

Assigne à chacun sa tâche à l'avance pour que tout soit clair quand vous serez sur place. Vérifie que tous savent sprinter, au cas où un fantôme vous courrait après.

DE RAMBOUH

LE PRO DE LA CHASSE AUX FANTÔMES

Bruissemen

Adeurant Inquié

Hanter

BLA

Mystérieu

Médium BRUME

Effrayant PS

PRÉSENCE Inv

Spectre AU-D

LINCE

Envahissant

CIMETIÈR